VENOM!

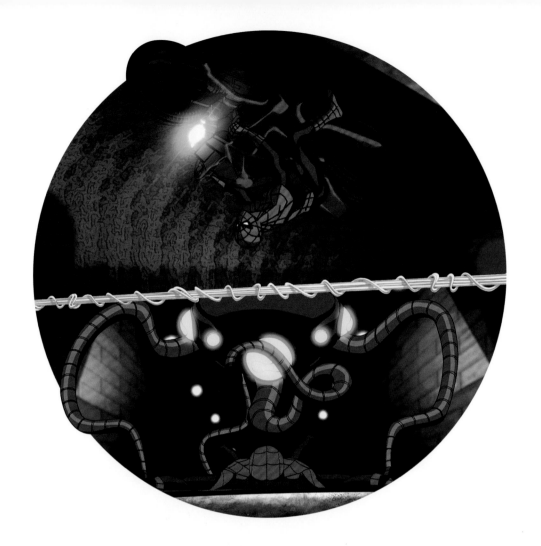

Parfois, être Spider-Man c'est faire de grands sacrifices pour le bien de tous.

Mais parfois, être Spider-Man c'est conduire à toute vitesse la Spider-Cycle au plafond des tunnels du métro pour échapper à une monstrueuse pieuvre mécanique !

Spidey est venu à bout de cet étrange robot grâce à ses électro-toiles expérimentales ! Ces petites merveilles de technologie sont l'œuvre de Nick Fury et du S.H.I.E.L.D.

Le temps que la bagarre se termine, Spider-Man réalise qu'il va être en retard en classe !

Il se balance de toile en toile jusqu'au lycée de Midtown, abandonne son costume de superhéros, et redevient l'étudiant Peter Parker.

Avant d'entrer dans la salle de cours, Peter rencontre par hasard son meilleur ami, Harry Osborn. Celui-ci organise une fête dans son immense appartement, toute l'école est invitée ! Mais Peter part en virée secrète avec quatre superhéros… Ils l'ont averti qu'ils seraient occupés à sauver le monde !

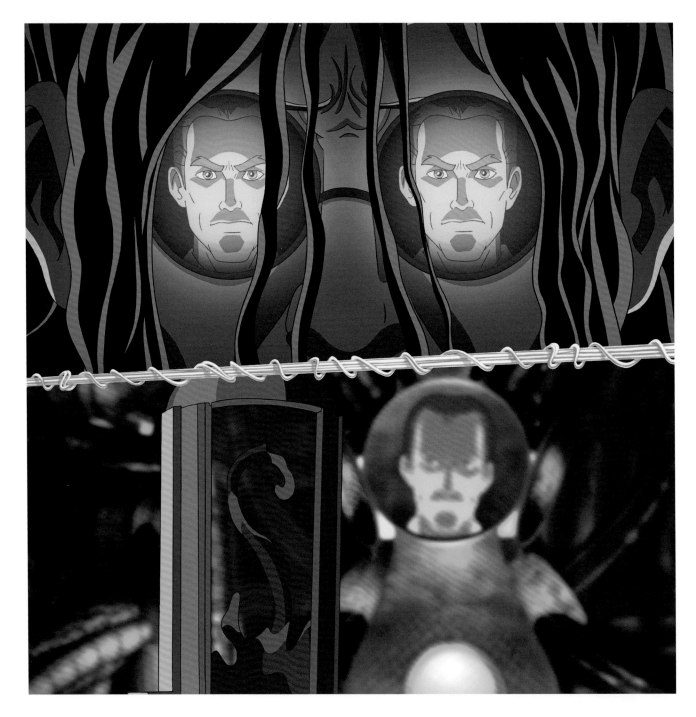

Pendant ce temps, dans un laboratoire caché dans les entrailles de New York, l'échantillon de sang de Spider-Man est analysé par le Docteur Otto Octavius ! C'est ce savant machiavélique qui a lancé la pieuvre mécanique contre notre superhéros ! Il travaille pour Norman Osborn, le père de Harry et le fondateur d'Oscorp, une compagnie qui crée des armes extrêmement dangereuses.

—Je suis parvenu à isoler les aspects mortels de l'A.D.N. de Spider-Man. Du pur venin ! s'exclame Octavius, ravi.

Il prévoit utiliser sa création comme une super-armure qui aurait les pouvoirs de Spider-Man.

C'EST POUR ÇA QUE LES SCIENTIFIQUES DIABOLIQUES ME DONNENT LA TROUILLE !

Les invités sont tous arrivés pour la grande fête chez Harry. Mais quelqu'un – ou plutôt quelque chose – va tout ruiner !

La nouvelle forme de vie créée par le Docteur Octavius à partir de l'A.D.N de Spider-Man s'est échappée de son laboratoire et cherche une victime à laquelle s'accrocher ! La substance visqueuse et maléfique se dirige vers l'appartement de Harry, et trouve rapidement une cible... Sa première victime est Flash Thompson.

Pendant ce temps, Peter et ses amis revêtent leurs costumes de superhéros. Ne reste plus qu'à s'occuper de cette chose qui veut prendre possession de leurs corps !

La forme noire et gluante quitte Flash, bondit sur Nova, et s'empare de lui.

À présent, elle est super puissante et lance des décharges explosives dévastatrices ! Spidey réalise qu'ils sont dans le pétrin !

LA CRÉATURE SE COMPORTE COMME UNE FORME DE VIE SYMBIOTIQUE, PASSANT D'UN CORPS À UN AUTRE. MAIS ÇA NE RÉPOND PAS À *LA* QUESTION : COMMENT PUIS-JE EN DÉBARRASSER NOVA ?

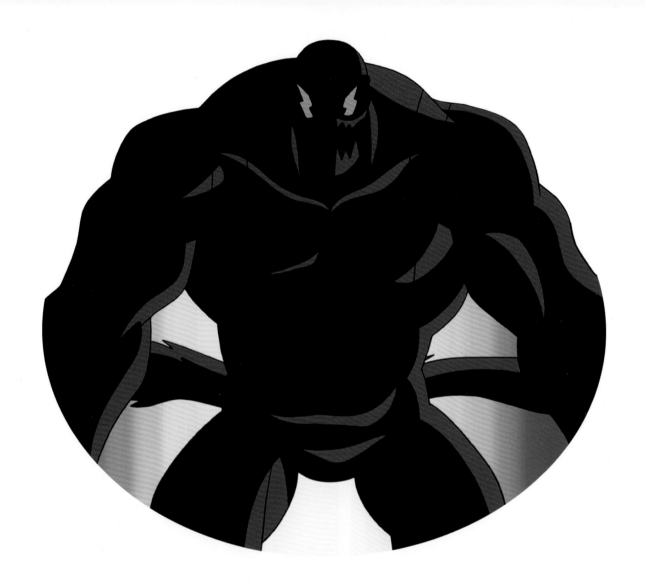

La bande de superhéros peut voir Nova se débattre pour essayer de reprendre le contrôle de son corps. Power Man intervient alors et tente de retirer la matière gluante de Nova, mais celle-ci se jette sur lui et devient un colosse super puissant !

Le double diabolique de Power Man écarte violemment
Tigre Blanc et Poing d'acier de son chemin. Il est bien trop fort pour
être arrêté !

Les électro-toiles de Spider-Man étourdissent un moment
la créature malfaisante, ce qui permet à Poing d'acier de libérer son
ami Power Man grâce à un coup de poing magistral !

Poing d'acier parvient à se défendre quelques instants mais
la forme noire et gluante finit par s'emparer de lui !

De son côté, Spidey est certain que la créature est après lui !
Il ne veut pas être sa prochaine victime, mais il ne peut pas non plus
abandonner la ville !

—C'est moi que tu veux ? Viens donc me chercher ! s'écrie Spider-Man tandis que la substance noire se jette sur lui.

—JE SUIS VENOM ! rugit la créature, prête à l'attaque.

Alors que tous les étudiants se sont enfuis, Harry et Mary Jane se faufilent sur le toit pour voir ce qui se passe. Soudain, Venom aperçoit Harry et s'en approche dangereusement… Spider-Man, piégé, sait qu'il doit pourtant intervenir pour protéger son meilleur ami.

Il essaie de se libérer de l'emprise de la matière visqueuse mais elle est bien trop forte ! Son seul espoir est de surcharger ses électro-toiles et d'attaquer de l'intérieur !

Cela fonctionne ! Spider-Man reçoit également la décharge électrique et se blesse, mais il est enfin libre ! Venom est détruit ! Spider-Man et ses amis ont une nouvelle fois sauvé la ville !

EH BIEN ! AU MOINS NOUS SAVONS QUE LES ÉLECTRO-TOILES SONT SUPER UTILES, PAS VRAI ? COMBATTRE LES VILAINS, DÉMARRER LES VOITURES, RECHARGER LES BATTERIES... MAINTENANT JE PEUX FAIRE TOUT ÇA !

Soudain, Norman Osborn apparaît accompagné d'officiers de police. Personne ne sait qu'il est à l'origine de la création de Venom ! Malgré son implication, il est très inquiet pour la sécurité de Harry, et est heureux de voir que Spider-Man a sauvé la vie de son fils.

— Harry, tu aurais pu être tué ! Tu es chanceux que Spider-Man était dans les parages ! s'exclame Norman.

De son côté, Spidey sait que si sa propre équipe n'avait pas été là, il ne s'en serait pas sorti non plus.

NOUS AVONS GAGNÉ CETTE FOIS-CI MAIS JE VEUX SAVOIR CE QUI S'EST VRAIMENT PASSÉ ! QUI A CRÉÉ CETTE CHOSE ? POURQUOI VENAIT-ELLE DES ÉGOUTS ? ET EST-CE QUE L'ODEUR PARTIRA DE MON COSTUME ? JE N'EN AI QU'UN SEUL, VOUS SAVEZ !

La bataille est terminée, mais il reste beaucoup de rangement à faire ! Entre l'énorme fête et une super-bagarre, l'appartement de Harry a connu des jours meilleurs… Au moins, tout remettre en ordre donne l'occasion à Peter et à Harry de s'assurer de la force de leur amitié !

Peter sait combien il est dur de mener une double vie de superhéros à cause de tous les secrets que cela implique. Mais avoir des amis sur qui compter rend les choses plus faciles pour Peter… et pour Spider-Man !

QUELQUE CHOSE ME DIT QUE JE REVERRAI CE VENOM… MAIS LA PROCHAINE FOIS, JE SERAI PRÊT !